l'orange

les marrons

l'arbre

la poussette

les gâteaux

le pigeon

l'herbe

le sac à dos

le toboggan

le blouson

le râteau

le gardien

Un personnage de Thierry Courtin
Couleurs : Françoise Ficheux

Loi n°49-956 du 16 juillet 1949
sur les publications destinées à la jeunesse,
modifiée par la loi n°2011-525 du 17 mai 2011.

ISBN : 978-2-09-253726-8
Achevé d'imprimer en janvier 2016
par Lego, Vicence, Italie
N° d'éditeur : 10220198 - Dépôt légal : février 2012

T'choupi au square

Illustrations
de Thierry Courtin

Aujourd'hui, maman emmène T'choupi

au square.

Fanni

est contente de se promener

dans sa poussette.

Maman s'installe sur un  .
banc

– Je peux aller au  avec Fanni ?
bac à sable

demande T'choupi.

– D'accord ! Moi, je reste là, et je vous

regarde…

T'choupi montre à sa petite sœur

comment construire un château de sable

avec une pelle et un seau.

Il trace même un chemin avec le râteau.

Mais, au bout d'un moment,

T'choupi s'ennuie : Fanni est trop

petite pour jouer avec lui.

Il préfère retrouver les autres enfants

au  : c'est bien plus amusant !

toboggan

Tout à coup, T'choupi aperçoit Pilou.

– Tu joues au foot avec moi ?

Je suis un champion !

– Non, répond Pilou, c'est interdit

de jouer au ballon sur l'herbe .

Alors T'choupi prend une 
feuille de marronnier

par terre : on dirait une grande main !

– Viens, on va ramasser des  !
marrons

propose Pilou.

Un peu plus tard, la maman

de T'choupi appelle :

– C'est l'heure du goûter ! Il y a

des gâteaux pour vous dans le sac à dos !

T'choupi et Pilou courent aussitôt

se laver les mains à la fontaine.

T'choupi partage son goûter

avec Pilou : il lui donne une brique

de jus d' .

orange

– Attention, je crois que ce 

pigeon

aime bien les gâteaux, lui aussi !

dit Pilou.

Après le goûter, T'choupi se dirige

vers une .

balançoire à ressort

– Si on faisait plutôt une course

de  ? dit Pilou.

vélos

T'choupi crie :

– Le premier qui arrive à l'  arbre

a gagné ! Un, deux, trois... Partez !

Les deux copains foncent à toute vitesse :

qui va gagner la course ?

Mais c'est déjà la fin de la journée.

Le  gardien siffle : il faut rentrer !

T'choupi enfile son  blouson :

– Je me suis bien amusé...

On reviendra demain ?

Retrouve sur ce dessin tout ce que T'choupi a vu...

une poussette
un banc
un bac à sable
une pelle
un râteau
un toboggan
un ballon
un gardien
une pelouse
une feuille
des marrons
un sac à dos
une fontaine
un pigeon
une balançoire
des vélos
un arbre

Et dans la même collection ...